MathStart®
洛克数学启蒙 ❸

打喷嚏的马

[美]斯图尔特·J.墨菲 文　[美]史蒂夫·比约克曼 图

漆仰平 译

预测

海峡出版发行集团 THE STRAITS PUBLISHING & DISTRIBUTING GROUP ｜ 福建少年儿童出版社 FUJIAN CHILDREN'S PUBLISHING HOUSE

献给聪明杰克和他的主人迈克尔。

——斯图尔特·J.墨菲

献给爱马的格雷西。

——史蒂夫·比约克曼

著作权合同登记号：图字 13-2023-038号

图书在版编目（CIP）数据

洛克数学启蒙.3.打喷嚏的马 / (美) 斯图尔特·
J.墨菲文；(美) 史蒂夫·比约克曼图；漆仰平译. --
福州：福建少年儿童出版社, 2023.9
ISBN 978-7-5395-8240-5

Ⅰ.①洛… Ⅱ.①斯… ②史… ③漆… Ⅲ.①数学 -
儿童读物 Ⅳ.①O1-49

中国国家版本馆CIP数据核字(2023)第074384号

LUOKE SHUXUE QIMENG 3 · DA PENTI DE MA
洛克数学启蒙3·打喷嚏的马

著　　者：[美]斯图尔特·J.墨菲　文　[美]史蒂夫·比约克曼　图　漆仰平　译
出 版 人：陈远　出版发行：福建少年儿童出版社　http://www.fjcp.com　e-mail:fcph@fjcp.com　社址：福州市东水路 76 号 17 层（邮编：350001）
选题策划：洛克博克　责任编辑：曾亚真　助理编辑：赵芷晴　特约编辑：刘丹亭　美术设计：翠翠　电话：010-53606116（发行部）　印刷：北京利丰雅高长城印刷有限公司
开　　本：889 毫米 ×1092 毫米　1/16　印张：2.5　版次：2023 年 9 月第 1 版　印次：2023 年 9 月第 1 次印刷　ISBN 978-7-5395-8240-5　定价：24.80 元

打喷嚏的马

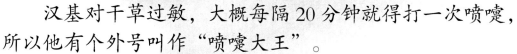

汉基对干草过敏，大概每隔20分钟就得打一次喷嚏，所以他有个外号叫作"喷嚏大王"。

汉基不光打喷嚏很有规律，他每天总是在固定的时间做固定的事情。

"汉基太好预测了，"爵士嘲笑他，"我们总能知道他马上要做什么。"

"是啊，"马耶斯蒂说，"多无趣。"

汉基刚好打了个喷嚏："阿嚏！"然后，他就走开了。

汉基讨厌被人取笑。不过，爵士和马耶斯蒂可能没说错，这一点更让他觉得心烦。

"我真的那么无趣吗？"他渴望知道答案。

火花是汉基最好的朋友，她安慰汉基道："别管他们怎么说。"可汉基听不进去。

"我要让他们看看我没那么无趣，"汉基琢磨起来，
"我能和别人一样不可预测。"

第二天，爵士和马耶斯蒂在大门附近溜达，火花刚好快步从门口经过。

"瞧着吧，"爵士说，"汉基会在10点整走出谷仓。"

"你又不知道，"火花说，
"你只是随便猜猜。"

9

爵士朝马耶斯蒂眨眨眼。

火花并不知道爵士和马耶斯蒂已经观察汉基好几天了。他们发现，汉基的主人苏珊总是在到达谷仓一小时后把汉基带出来。今天早上9点苏珊就到马厩了。

谷仓里的汉基听到了爵士和马耶斯蒂的对话。
"机会来了！我要让你们预测不到！"汉基想，
"只要我在里面待到 10 点以后再出来就行！"
汉基低下头把蹄子收起来。苏珊使劲拽缰绳。

可就在这时，汉基打了个喷嚏。"阿嚏！"
这个喷嚏的动静太大，汉基几乎没法站稳。
早上10点整，他跌跌撞撞地通过了谷仓大门。

13

第二天，火花正在嚼鲜草，爵士和马耶斯蒂从一旁跑过。
"我预测，汉基今天会披蓝色的马鞍垫。"爵士说。

星期数	1	2	3	4	5	6
马鞍垫	红色	蓝色	红色	蓝色	红色	？

她注意到，如果汉基这个星期披红色
的马鞍垫，那么下一个星期他就会披蓝色
的马鞍垫。上星期，他一直披的是红色。

15

谷仓里，汉基又发现一个能让他变得不可预测的机会，
那就是只要确保苏珊今天给他披红色马鞍垫就行。
汉基用牙齿咬住蓝色马鞍垫，把它藏在一大堆干草下面。

可是，这又害他打了个喷嚏。"阿嚏！"
干草飞了起来，这时苏珊刚好到达谷仓。
"汉基，你的垫子怎么会在干草下面？"苏珊说着，把蓝色马鞍垫放到汉基的背上。
"哦，糟糕！"汉基心想，"这下，我还是被他们预测准了。"

第二天，汉基去田野里吃草，爵士和马耶斯蒂在不远处观察。

"我打赌，他一上来就得先打个滚儿。"爵士说。

"当然，绝对的。"马耶斯蒂说，"过去5天里，他天天如此。"

汉基听见了他们的对话。

"我才不会打滚儿呢。不会！不会！"他想。

可是，草儿那么诱人。

汉基朝爵士和马耶斯蒂那边瞧了瞧。正巧他们在看别的地方。

"机会来了！"汉基想。

他"扑通"一声仰面躺倒，扭动着身子翻滚起来，感觉妙极了。

马耶斯蒂迅速转过身来。"哈！汉基还是老样子！"
他大叫，"完全在我们的预料之中！"
　　汉基叹了口气站起来。

"看着吧，"爵士低声说，"我打赌他接下来会喝口水。他几乎每次都这样。"

汉基听见了爵士的话。不过他已经不在乎了。他渴了，走过去喝了水。
　　"他们总是能预测到我要做什么，"
他心想，"也许我真的很无趣。
我没法改变这一点。"

23

爵士大喊起来："我预测，你3分钟后就会打喷嚏。"
她知道汉基每隔20分钟就打一次喷嚏。他上一个喷嚏
是17分钟前打的。

火花来到汉基身边。

　　"别担心，"她安慰道，"我不在乎你是不是总做同样的事情。
你是我最好的朋友，我喜欢你本来的样子。"

汉基感觉好些了。

"你说得对，"汉基对火花说，"从现在开始，
我想做什么就做什么，不管别人怎么想。"

说着，他又把鼻子伸进了水里。

就在这时，他打了个喷嚏。

"虽然你这个喷嚏被他们预测到了，"
火花说，"但它真的很有趣！"

《打喷嚏的马》中所涉及的数学概念是做出预测，这是逻辑思维的重要部分。预测不是随机猜，而是建立在对模式的观察上。

对于《打喷嚏的马》中所呈现的数学概念，如果你们想从中获得更多乐趣，有以下几条建议：

1. 和孩子一起读故事，指出马耶斯蒂和爵士对汉基接下来的行为做出了哪些预测。读故事的过程中，让孩子也来预测一下汉基会做什么，并让孩子说说这么预测的理由。

2. 再次阅读故事，让孩子预测第二天或下一周汉基可能做什么。

3. 改变书中表格的规律。例如，你可以把第 11 页中的表格改为：

	星期一	星期二	星期三	星期四	星期五	星期六
苏珊到达	9:00	9:15	9:30	9:00	9:15	9:30
汉基出谷仓	9:30	9:45	10:00	9:30	9:45	?

让孩子根据新表格预测汉基将会怎么做，并让孩子说说这么预测的理由。

4. 让孩子去询问其他家庭成员每天所做的事情，列成表格，然后对他们的行为做出预测。

如果你想将本书中的数学概念扩展到孩子的日常生活中，可以参考以下这些游戏活动：

1. 校内午餐：让孩子连续两周记录学校的午餐菜单，然后来预测下周的菜单。

2. 预测自己：让孩子把他三四天内每天做的事情记录成表格。例如：

事项	星期一	星期二	星期三	星期四
起床时间				
早餐吃的食物				
上衣的颜色				
放学回家的时间				

问一问孩子每天做的事项是否存在某种固定模式，它是否像汉基一样容易预测。

洛克数学启蒙